捣蛋猫爱编程

什么是循环和条件

〔美〕布赖恩·P. 克利里◎著　〔加〕马丁·戈诺◎绘　何　晶◎译

U0397142

北京科学技术出版社

编程就是给计算机、应用程序或网站一系列指令。

要用它们可以理解的**语言**精准地告诉它们每一步该干什么。

循环语句是一种编程指令，

它的主要功能是

让计算机重复执行一部分**代码**一定的次数，

直到任务完成。

循环语句可以帮助程序员在一些需要重复的工作上节省大量时间。

例如，将一个指令重复 800 万次！

你知道什么时候结束吗？

根本没有尽头！

例如，你正在给一个机器人写程序，
告诉它要在蛋糕上面挤糖霜。

使用**循环语句**可以让机器人把这个动作重复30次，

这样你不费吹灰之力，

就可以完成给 30 个蛋糕挤糖霜的任务。

再比如，代码中的**循环语句**可以告诉喂料机，
每天早上 8 点、中午 12 点、晚上 6 点加满料。

只需给它一次指令，每天它都会按时加料，全年无休。

循环语句是程序员的秘密武器。

如果某个条件成立，那么就要执行某个指令，

这样的语句叫作**条件语句**。

条件语句非常酷，

它总在玩"**如果**……**那么**……"的游戏。

例如，"告诉老师们，**如果**户外温度高于 15℃，**那么**课间休息就可以在户外进行！

如果户外温度是 15℃或者低于 15℃，

那么课间休息就在体育馆靠近看台的地方进行！"

条件语句在写代码时非常有用，

你可以用"**如果**"（if）和"**那么**"（then）

来制定规则。

例如，你可以用条件语句告诉你设计的无人驾驶汽车，在学校附近行驶时要减速。

你在**代码**里面可以这么写：

在某个时间段内，

如果汽车距离学校在 30 米以内，

那么汽车就要减速；

如果有人正在过马路，**那么**汽车就要停下来。

循环语句和条件语句

给所有年龄段的程序员都帮了大忙——

无论是开发软件，

　　还是设计有趣的新游戏，

　　　　抑或是制作自己的网页！

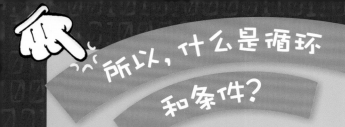

你知道了吗？

编程很有趣。最重要的是，任何人都可以编程。你只需有一台计算机或平板电脑，能连上网，并愿意尝试即可。

正如前文所述，循环语句用于编写需要重复执行一定次数的指令。循环语句可用于执行重复性任务，比如指示汽车多次绕过赛道。条件语句告知程序响应不同的情况：如果发生了某种情况，那么就去执行某个指令；如果没有发生某种情况，那么就去执行另外一个指令。

循环语句和条件语句可以让一些任务变得简单：

- 图书上架
- 制造汽车
- 重复播放一首歌
- 玩电子游戏
- 提示汽车需要加油
- 在线做性格测试

循环语句和条件语句可以帮你节省时间并减少错误。如果使用模块化编程语言（比如 Scratch 和 Alice），会更加容易，因为你可以通过拖拽代码块来编写程序。最好从简单的程序开始写起。如果初学阶段编写的程序不完美，请不要担心。练习得越多，编程就会越容易。

想学习更多编程知识？

看看下面的资源

书籍

Liukas, Linda. *Hello, Ruby: Adventures in Coding*. New York: Feiwel and Friends, 2015.
这本针对编程新手的绘本介绍了编程思维的基础知识。例如，将大问题分解为许多小问题、找到规律以及创建分步计划等。

Loya, Allyssa. *Disney Coding Adventures: First Steps for Kid Coders*. Minneapolis: Lerner Publications, 2019.
有趣的迪士尼卡通人物向小小程序员们介绍算法、漏洞、循环语句和条件语句等基本概念。贯穿全书的实践活动更是为这本书增添了很多乐趣。

Robinson, Fiona. *Ada's Ideas: The Story of Ada Lovelace, the World's First Computer Programmer*. New York: Abrams Books for Young Readers, 2016.
这本传记绘本介绍了计算机领域的开拓者埃达·拜伦·洛夫莱斯。她喜欢数学和科学，编写了世界上第一个计算机程序——甚至在电子计算机问世之前。

网站和应用程序

Code.org
https://code.org
该网站为编程初学者提供了大量资源，包括供学生和老师使用的资源。你可以在"项目"页签查看其他孩子已完成的项目，并查看这些项目的代码。

Scratch Jr.
https://www.scratchjr.org
这种简单的、基于模块的编程语言是专门为没有编程经验的小学低年级学生设计的，它可以在iPad和安卓平板电脑上运行。

Find activities, games, and more a
www.brianpcleary.com

作者和绘者介绍

布赖恩·P.克利里是"捣蛋猫"系列绘本、"自然拼读"系列绘本、"诗歌冒险"系列绘本等畅销童书的作者。克利里还著有《咣当咣当》《哼哼唧唧》《拟声词的故事》《太阳在玩捉迷藏——拟人的故事》等。现居美国俄亥俄州克利夫兰市。

马丁·戈诺是一名资深绘本插画师，为很多绘本创作过插画，"捣蛋猫"系列绘本中很多插图都出自马丁之手。业余时间，马丁是电子游戏和编程爱好者。马丁现在和他的妻子以及两个可爱的儿子居住在加拿大魁北克省三河市。

感谢技术专家迈克尔·米勒对本书的文字和图画进行审校。

Text copyright © 2019 by Brian P. Cleary

Illustrations copyright © 2019 by Lerner Publishing Group, Inc.

Simplified Chinese translation copyright © 2020 by Beijing Science and Technology Publishing Co., Ltd.

著作权合同登记号 图字：01-2019-2055

图书在版编目(CIP)数据

什么是循环和条件 / (美) 布赖恩·P.克利里著；(加) 马丁·戈诺绘；何晶译. —北京：北京科学技术出版社，2020.5
（捣蛋猫爱编程）
书名原文：Nothing Looping About This
ISBN 978-7-5304-9172-0

Ⅰ.①什… Ⅱ.①布…②马…③何… Ⅲ.①程序设计-少儿读物 Ⅳ.①TP311.1-49

中国版本图书馆CIP数据核字(2020)第048838号

什么是循环和条件（捣蛋猫爱编程）

作　　者：〔美〕布赖恩·P.克利里	绘　　者：〔加〕马丁·戈诺
译　　者：何　晶	策划编辑：石　婧
责任编辑：樊川燕	责任印制：张　良
出 版 人：曾庆宇	出版发行：北京科学技术出版社
社　　址：北京西直门南大街16号	邮政编码：100035
电话传真：0086-10-66135495（总编室）	0086-10-66113227（发行部）
0086-10-66161952（发行部传真）	
电子信箱：bjkj@bjkjpress.com	网　　址：www.bkydw.cn
经　　销：新华书店	印　　刷：北京宝隆世纪印刷有限公司
开　　本：710mm×1000mm　1/16	印　　张：1.5
版　　次：2020年5月第1版	印　　次：2020年5月第1次印刷
ISBN 978-7-5304-9172-0 / T·1049	

定价：20.00元